O PATINHO FEIO

CLÁSSICOS ILUSTRADOS

MAURICIO DE SOUSA

NA BEIRA DE UM LAGO, DONA PATA CHOCAVA ALEGREMENTE SEUS OVOS, QUANDO PERCEBEU QUE UM DELES ERA BEM MAIOR QUE OS OUTROS.

DONA PATA NÃO ENTENDIA COMO HAVIA BOTADO UM OVO TÃO GRANDE E NÃO SABIA AO CERTO POR QUE ISSO TINHA ACONTECIDO.

DOS SEUS OVINHOS NASCERAM LINDOS FILHOTES. O PATINHO DO OVO GRANDÃO FOI O ÚLTIMO A NASCER E ERA MAIS FORTE, FEIO E DESAJEITADO QUE OS OUTROS.

NO DIA SEGUINTE, A PATA SAIU COM A SUA NINHADA E DESCEU ATÉ O LAGO. SENTOU-SE NA ÁGUA E COMEÇOU A CHAMAR PELOS PATINHOS, QUE IAM SE LANÇANDO À ÁGUA.

A NOVA NINHADA FOI BEM RECEBIDA POR TODOS, MENOS O PATINHO FEIO, QUE ERA REPELIDO PELOS OUTROS BICHOS. ATÉ OS SEUS PRÓPRIOS IRMÃOZINHOS RIAM DELE.

UM DIA, O PATINHO SAIU VOANDO E CHEGOU A UMA GRANDE LAGOA.

ALI ELE SE ESCONDEU ENTRE OS JUNCOS, ESTAVA CANSADO E MUITO TRISTE.

NA MANHÃ SEGUINTE, OS PATOS PERCEBERAM A SUA PRESENÇA E COMEÇARAM A COMENTAR:

– VOCÊ É MUITO FEIO, AMIGO. AH, AH, AH...

DE REPENTE, OUVIU-SE UM ESTAMPIDO E TODOS SAÍRAM VOANDO: ERA UMA GRANDE CAÇADA. O PATINHO LEVOU O MAIOR SUSTO QUANDO VIU UM CÃO ENORME NA SUA FRENTE, MAS O CÃO RESOLVEU SAIR EM BUSCA DE COISA MELHOR.

O PATINHO ANDOU MUITO E JÁ ERA NOITE QUANDO CHEGOU A UMA PEQUENA CABANA, ONDE MORAVA UMA VELHINHA COM UM GATO E UMA GALINHA.

QUANDO A VELHINHA VIU O PATINHO, PENSOU QUE FOSSE UMA PATA E EXCLAMOU:

– OBA, VAMOS TER OVOS DE PATA! – E TOMOU CONTA DO BICHINHO, DANDO-LHE MORADIA E COMIDA.

E COMO A VELHINHA, CEDO OU TARDE, DESCOBRIRIA QUE ELE NÃO ERA UMA PATA, O PATINHO SAIU DALI E DIRIGIU-SE A UMA LAGOA SOLITÁRIA, ONDE NADOU À VONTADE.

VEIO O INVERNO RIGOROSO E AS NUVENS PESADAS DE NEVE ENCOBRIRAM O SOL. A LAGOA FOI CONGELANDO ATÉ QUE PARALISOU O POBRE PATINHO. ELE FICOU IMÓVEL, PRESO NO GELO.

PELA MANHÃ, UM CAMPONÊS QUEBROU O GELO E LEVOU O PATINHO PARA CASA, REANIMANDO-O PERTO DA LAREIRA. AS CRIANÇAS QUERIAM BRINCAR COM ELE, MAS O POBREZINHO, COM MEDO, FUGIU ASSUSTADO.

QUANDO CHEGOU A PRIMAVERA, O PATINHO TINHA CRESCIDO E ESTAVA MAIS FORTE. UM DIA, CONSEGUIU VOAR BEM ALTO E, DE REPENTE, VIU UM LAGO COM TRÊS LINDOS CISNES E FOI ATÉ ELES.

OS CISNES FORAM AO ENCONTRO DO PATINHO, QUE ACHOU AQUILO ESTRANHO. PENSOU QUE AQUELAS AVES QUISESSEM RIR DELE. MAS QUANDO VIU A SUA IMAGEM REFLETIDA NO LAGO, TEVE UMA GRANDE SURPRESA. ELE HAVIA SE TRANSFORMADO EM UM CISNE!

MUITAS CRIANÇAS FORAM À MARGEM DO LAGO, JOGANDO MIGALHAS DE PÃO NA ÁGUA. ENTÃO, O MENINO MENOR EXCLAMOU:

– OLHA! TEM MAIS UM CISNE!

– É O MAIS BONITO DE TODOS. – COMENTOU UMA MENINA.

O PATINHO NÃO SABIA O QUE FAZER, DE TÃO SURPRESO. LEMBROU DE TODAS AS AMARGURAS PELAS QUAIS HAVIA PASSADO, E VIU QUE AGORA ERA UMA DAS MAIS MAGNÍFICAS AVES DO MUNDO! ENTÃO, PENSOU QUE NUNCA, NEM QUANDO AINDA ERA UM PATINHO FEIO E ESQUISITO, PODERIA SER TÃO FELIZ!